JF MJ

September 2007

D0262287

Nalle Puh
och några bin

A.A. Milne

Illustrerad av E.H. Shepard

ÖVERSÄTTNING AV BRITA AF GEIJERSTAM

Bonnier*Carlsen*

Här har vi Teddy Björn. Han kommer nerför trapporna,

duns,
duns,
duns,

med huvudet före – efter Christoffer Robin. Detta är det enda sätt han vet att komma nerför trapporna,

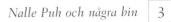

men ibland känner han på sig, att det
måste finnas något annat sätt också, om
han bara kunde sluta upp att dunsa ett
enda ögonblick och tänka efter – men
för resten kanske det inte finns det. Nu
är han i alla fall nere och klar att bli
presenterad
för dig.

 # Nalle
Puh

Ibland vill Puh helst leka någon-
ting, när han kommer ner, och ibland
tycker han bäst om att sitta framför
brasan och höra en saga. Den här
kvällen…

– Hur skulle det vara med en saga?
sa Christoffer Robin.

– Ja, hur skulle det vara? sa jag.

– Skulle du inte vilja vara så rysligt
snäll och berätta en saga för Nalle
Puh?

– Det kan jag väl göra, sa jag. Vad för slags sagor tycker han om?

– Sagor om honom själv. Han är en sådan björn.

– Jaså, jag förstår.

– Vill du vara så rysligt snäll och göra det?

– Jag ska försöka, sa jag.

Och så försökte jag.

– En gång för mycket,

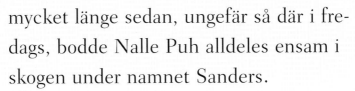

mycket länge sedan, ungefär så där i fredags, bodde Nalle Puh alldeles ensam i skogen under namnet Sanders.

(– Vad betyder "under namnet"? frågade Christoffer Robin.

– Det betyder, att han hade sitt namn i guldbokstäver över dörren och bodde under det.

– Nalle Puh var inte riktigt säker på det, sa Christoffer Robin.

– Men nu är jag det, sa en brummande röst.

– Då fortsätter jag, sa jag.)

En dag när han var ute och promenera-
de, kom han till en öppen plats mitt
i skogen, och mitt på den platsen stod
en stor ek, och från ekens topp hördes
ett högt

surrande ljud.

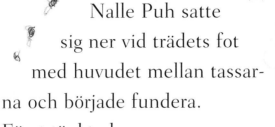

Nalle Puh satte
sig ner vid trädets fot
med huvudet mellan tassar-
na och började fundera.
Först tänkte han:

– Det här surret betyder någon-
ting. Det finns inget sådant där ljud,
som bara surrar och surrar utan att
det betyder någonting.

Om det är ett surr, så måste det vara nån som surrar, och den enda meningen med att surra som jag kan tänka mig är för att visa att man är ett bi.

Så funderade han en lång stund igen, och så sa han:

– Och den enda meningen med att vara ett bi, som jag vet, är att göra honung.

Och så reste han sig upp och sa:

– Och den enda
meningen med att
göra honung är att
jag ska äta den.
Och så började han
klättra upp i trädet.

Han klättrade och
han klättrade och
han klättrade, och
medan han klättrade
sjöng han en liten
sång för sig själv.

Den lät så här:

Lustigt vad

man för en smula honung gör.

Surr, surr, surr!

undrar just varför?

Så klättrade han litet högre… och så litet högre… och så ännu litet högre.

Men då hade han hunnit tänka ut en ny visa.

Det är lustigt att tänka, om Björnen var Bi,

han hade i stubbarna sitt skafferi.

Och om det så vore (att Biet var Björn),

så slapp man att klättra och få sig en törn.

Han började bli ganska trött nu, det var därför han sjöng en så klagande sång. Han var närapå uppe, och om han bara ställde sig på den där grenen...

Brak!

Hjälp!

skrek Puh, när han ramlade ner på
en gren tre meter under honom.

– Om jag bara hade låtit bli att...,

sa han, just som han dunsade mot
nästa gren, sex meter längre ner.

– Ser du, min *mening* var, förklarade
han medan han gjorde en kullerbytta
och slog mot en gren tio meter längre
ner, min mening var att…

– Det *var* förstås ganska… medgav
han, medan han hastigt slank genom
de nästa sex grenarna.

Jag antar, att det här är följden av,
tänkte han, när han sa adjö till den
sista grenen, gjorde tre volter och mjukt

föll ner i en enrisbuske, att det här är
följden av att tycka så *hemskt* mycket
om honung.

— Hjälp!

Han kröp fram ur busken, borstade taggarna från nosen och började fundera igen. Den första människa han kom att tänka på var Christoffer Robin.

(– Var det jag det? sa Christoffer Robin med vördnad i rösten – han vågade knappast tro sina öron.

– Ja, det var du.

Christoffer Robin sa ingenting, men hans ögon blev större och större, och hans kinder rödare och rödare.)

Och så gick Nalle Puh till sin vän

Christoffer Robin, som bodde i en annan del av skogen bakom en grön dörr.

– God morgon, Christoffer Robin, sa han.

– God morgon, Nalle Puh, sa du.

– Du har väl inte händelsevis en ballong på dig?

– En ballong?

– Ja, jag sa för mig själv när jag gick hit: Jag undrar just om Christoffer Robin händelsevis kan ha en ballong på sig? Jag sa det bara för mig själv, jag kom att

tänka på ballonger och undrade.

– Vad ska du med en ballong till? sa du.

Nalle Puh såg sig omkring för att se att ingen stod och lyssnade, satte tassen för munnen och viskade:

– *Honung.*

– Men inte kan man få honung med ballonger.

– *Jag* kan det, sa Puh.

Nu hände det sig, att du just hade varit

hos din vän Nasse på bjudning dagen
förut och på den bjudningen hade det
delats ut ballonger.

Du hade fått en stor grön ballong, och
en av Kanins släktingar hade fått en blå
och glömt att ta den med sig hem,
eftersom han egentligen var alldeles för
liten att gå på bjudningar alls; och då
hade du tagit *både* den gröna och den blå
med dig hem.

– Vilken skulle du helst vilja ha? fråga-
de du Puh.

Han satte huvudet mellan tassarna
och tänkte efter väldigt.

– När man ska ta honung med ballong

är det förfärligt viktigt, att man inte
låter bina veta att man kommer. Om
man då har en grön ballong, så kan de
tro, att man är en del av trädet och
kanske inte märker en, och om man
har en blå ballong, kan de tro, att man
är en bit av himlen och märker en
inte heller, och nu är frågan: Vilket är
troligast?

– Tror du inte de skulle upptäcka
dig under ballongen? frågade du.

– Kanske och kanske inte, sa Puh.

Man kan aldrig så noga veta med bin.
Han funderade en stund och sa:

— Jag ska försöka se ut som ett litet svart moln.

Då blir de kanske lurade.

— Då är det väl bäst, att du tar den blå
ballongen, sa du, och så blev det bestämt.

Och så gick ni ut båda två med den
blå ballongen, och du tog som vanligt
din bössa med dig för säkerhets skull.
Och Nalle Puh gick till en mycket
gyttjig gyttjepöl som han kände till,
och rullade sig…

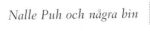

tills
han
blev
alldeles
kolsvart.

Och sedan när du hade blåst upp ballongen och ni båda två stod och höll i snöret, släppte du taget, och Nalle Puh svävade graciöst upp i skyn,

där han stannade i jämnhöjd med
trädets topp, ungefär sex meter
ifrån det.

– Hurra! skrek du.

– Det var väl fint! ropade Nalle Puh
ner till dig. Vad ser jag ut som?

– Du ser ut som en björn, som
hänger i en ballong, sa du.

– Inte, sa Puh ängsligt, inte som
ett litet svart moln på en blå him-
mel?

– Inte precis.

– Nå ja, kanske det ser annorlunda ut här uppifrån. Och, som jag sa, man kan aldrig så noga veta med bin.

Det blåste inte alls, så att han kunde komma närmare trädet, utan han stannade där han var. Han kunde se honungen, han kunde känna lukten av honungen, men nå honungen kunde han inte.

Efter en liten stund kallade han på dig.

– Christoffer Robin, viskade han ljudligt.

– Hallå!

– Jag tror, att bina *misstänker* någonting.

– Vad då för någonting?

– Jag vet inte riktigt, men jag känner på mig, att de är *misstänksamma*.

– De kanske tror, att du vill åt deras honung?

– Kanske det. Man kan aldrig så noga veta med bin.

Det blev tyst en liten stund, och så ropade han ner till dig igen.

– Christoffer Robin.

– Ja.

– Har du något paraply hemma hos dig?

– Jag tror det.

– Tänk om du ville ta hit det och promenera fram och tillbaka med det och så titta upp på mig alltemellanåt och säga: Minsann ser det inte ut, som det skulle bli regn. Jag tror, att om du gjorde det, skulle det gå bättre att lura bina.

Du skrattade för dig själv och tänkte: Dumma gamla Nalle! Men du tyckte så

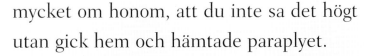

mycket om honom, att du inte sa det högt
utan gick hem och hämtade paraplyet.

– Jaså, där är du, ropade Nalle Puh så
snart du kom tillbaka till trädet. Jag bör-
jade nästan bli orolig. Jag har upptäckt,
att bina absolut är misstänksamma.

– Ska jag spänna upp paraplyet? sa du.

– Ja, men vänta ett ögonblick. Vi måste
vara praktiska. Det viktigaste är att lura
bidrottningen. Kan du se drottningen där
nerifrån?

– Nej.

– Det var dumt. Nå ja, om du går fram och tillbaka med ditt paraply och säger:

Hå hå ja ja, ser det inte ut, som det skulle bli regn,

så ska jag göra, vad jag kan, och sjunga en liten molnsång en sådan som ett moln skulle kunna sjunga… Gå nu.

Och medan du gick fram och tillbaka och undrade om det skulle bli regn, sjöng Nalle Puh den här sången:

Bara tänk en sådan fröjd ♪ att vara moln i rymden.

Varje molntapp glad och nöjd ♪ sjunger högt i himlens höjd.

Ingen känner större fröjd

än ett moln i rymden.

Därför är jag glad och nöjd ♪ som ett moln i himlens höjd.

Bina surrade misstänksammare än någonsin. Några av dem lämnade till och med sitt bo och flög runtomkring molnet, när det började på visans andra vers, och ett bi satte sig på molnets nos ett ögonblick och flög sedan sin väg igen.

– Christoffer – *aj* – Robin, ropade molnet.

– Ja?

– Jag har just tagit mig en funderare och kommit till

ett mycket viktigt resultat. *Det här
är fel slags bin.*

– Är det?

– Alldeles fel sort. Jag tror bestämt,
att de gör fel sorts honung också. Tror
du inte det också?

– Tror du?

– Ja. Jag tror jag kommer ner igen.

– Men hur? frågade du.

Nalle Puh hade inte tänkt på den
saken. Om han släppte snöret, skulle
han falla ... *DUNS...*

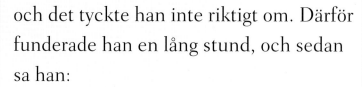

och det tyckte han inte riktigt om. Därför funderade han en lång stund, och sedan sa han:

— Christoffer Robin, du måste skjuta ballongen med din bössa. Har du med dig bössan?

— Ja, det är klart, sa du. Men om jag gör det, blir ju ballongen förstörd, sa du.

— Men gör du det *inte*, sa Puh, så måste jag släppa taget, och då blir *jag* förstörd.

När han framställde saken på det viset, hade du ingenting annat att göra, så du

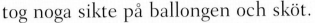

tog noga sikte på ballongen och sköt.

– Aj, sa Puh.

– Bommade jag? sa du.

– Inte *precis*, sa Puh, men du bommade på *ballongen*.

– O, så tråkigt, sa du, och så siktade du igen. Och den här gången träffade du ballongen, och luften pep sakta ut, och Nalle Puh seglade långsamt ner till marken.

Men hans armar hade blivit så stela av att hålla i ballongsnöret så länge,

att de fortfor att peka rakt upp i
luften i över en vecka, och var gång
en fluga slog sig ner på hans nos,
måste han *blåsa* bort den. Och jag
tror – men jag vet inte säkert – att

det är därför, han alltid kallas för Puh.

＊　　　＊　　　＊

– Är sagan slut nu? frågade Christof-
fer Robin.

– Ja, den här sagan. Men det finns fler.

– Som handlar om Puh och mig?

– Och Nasse och Kanin och er alli-
hop. Kommer du inte ihåg?

– Jo, det gör jag, men när jag försöker
komma ihåg, så glömmer jag.

– Den där dagen, när Nasse och Puh

försöker fånga Heffaklumpen…

– De fångade den väl inte?

– Nej.

– Puh kunde inte, för han har ingen hjärna. Fångade *jag* den?

– Det står i sagan om det. Christoffer Robin nickade.

– Jag kommer ihåg, sa han, men Puh minns inte riktigt. Det är därför han vill höra det igen. För då blir det en riktig saga och inte bara ett "komma ihåg".

– Precis vad *jag* också tycker, sa jag.

Christoffer Robin suckade djupt, lyfte sin björn i benet och gick mot dörren släpande Puh efter sig. I dörren vände han sig om och sa:

– Kommer du med och ser på när jag badar?

– Kanske det, sa jag.

– Jag gjorde väl inte honom illa, när jag sköt?

– Inte ett dugg.

Han nickade och gick ut.

Strax därpå hörde jag Nalle Puh – *duns,
duns, duns* – när han släpade uppför
trapporna efter Christoffer Robin.

Nalle Puh och några bin
text ur *Nalle Puh* första gången utgiven i Storbritannien
14 oktober 1926 av Methuen & Co. Ltd.
Texten av A. A. Milne och illustrationerna av E. H. Shepard
är upphovsrättsskyddade enligt Bernkonventionen.

Denna utgåva:
Första gången utgiven i Storbritannien, 2001
av Methuen Children's Books, som ingår i Egmont Children's Books Limited,
under Egmont Holding Limited,
239 Kensington High Street, London W8 6SA.

Utgiven på svenska av Bonnier Carlsen, 2002
Översättning: Brita af Geijerstam
Tryckt i Kina, 2002
ISBN 91-638-2926-6

www.bonniercarlsen.se